Trois autres histoires de Billy
à l'école des loisirs :

Haut les pattes !

Le bison

Cheval fou

© 2014, l'école des loisirs, Paris
Loi numéro 49 956 du 16 juillet 1949 sur les publications
destinées à la jeunesse : septembre 2014
Dépôt légal : juillet 2016
Imprimé en France par Pollina à Luçon - L77565
ISBN 978-2-211-21966-2

Catharina Valckx

La fête de Billy

l'école des loisirs
11, rue de Sèvres, Paris 6ᵉ

«Papa», dit Billy un matin, «c'est mon anniversaire aujourd'hui.»

«Ah oui, c'est vrai ça!» dit son père. «Qu'est-ce qui te ferait plaisir, mon garçon, pour ton anniversaire?»

«Des noisettes», dit Billy.

«Bien sûr, des noisettes! Mais tu ne veux rien d'autre?»

Billy réfléchit.

«Je voudrais des noisettes et… une fête. Une fête déguisée.»

«Ah! Un bal costumé!» s'écrie son père. «Bonne idée. C'est toujours drôle, les bals costumés. On adore ça, nous, les hamsters. Va vite inviter tes amis, Billy, je m'occupe de tout le reste.»

Billy file chez son ami Jean-Claude, le ver de terre.

« Jean-Claude, je fais une fête ce soir ! »

« C'est vrai ? Chouette ! » dit Jean-Claude.

« Tu viens avec moi inviter tout le monde ? »

« Ah, non. Je ne peux pas », dit Jean-Claude.

« Je dois garder mon petit frère. »

Billy ouvre des yeux ronds.

« Ton petit frère ?? Je ne savais pas que tu avais un petit frère !! »

« C'est que je ne l'ai pas depuis très longtemps », dit Jean-Claude,

« il est encore tout petit. »

« Il n'a qu'à venir avec nous », propose Billy.

« Euh… oui, pourquoi pas », dit Jean-Claude. « Je vais le chercher. »

«Comment tu t'appelles?» demande Billy.
«Dié», dit le petit frère.

« Il s'appelle Didier », dit Jean-Claude. « Et tu vois, Didier,
lui c'est mon ami Billy. Essaie de dire BI-LY. »
« I-ly », répète Didier avec un tout petit grand sourire.

Pour commencer, ils invitent Josette, la souris.
« Tout le monde va venir déguisé », précise Billy.

« Déguisé ? Tu ne m'avais pas dit ça ! » s'exclame Jean-Claude.

« Il faut que je rentre préparer mon déguisement ! »

« Mais non, tu auras encore bien le temps tout à l'heure », dit Billy.

« Alors, tu viendras ce soir, Josette ? »

« Avec plaisir », dit Josette, toute contente.

Ensuite, Billy invite le bison.

« C'est un bal costumé », dit Billy.

« C'est quoi, un bal costumé ? » demande le bison de sa grosse voix.

« Ça veut dire que tu dois venir déguisé en pirate ou en sandwich
ou en n'importe-ce-que-tu-veux », explique Billy.

« Ah oui, d'accord », dit le bison.

Billy et Jean–Claude reprennent leur tournée d'invitation
quand soudain Jean–Claude se met à hurler :
«Mon petit frère !! Où est passé mon petit frère !!?»
Didier n'est plus avec eux.

Comme une flèche, Jean-Claude retourne sur ses pas.
Fou d'inquiétude, il cherche son petit frère partout.
«Didier ! Didiii !! »
«Où peut-il bien être passé ?» se demande Billy.
C'est alors qu'il remarque une maison dans un arbre.
Ouille. C'est la maison de Jack, le vautour.
C'est peut-être lui qui a attrapé Didier.
Sans attendre, Billy grimpe dans l'arbre.
Il pousse la porte de la maison, le cœur battant.

« I-ly ! » s'écrie Didier en le voyant.

« Rends-moi Didier, Jack ! » gronde Billy, d'une voix sévère.

« C'est le petit frère de Jean-Claude. »

« Je m'en fiche », dit Jack. « Aujourd'hui, c'est mon anniversaire, et pour une fois, je ne veux pas le fêter tout seul. »

« Ça alors », dit Billy, « c'est drôle, moi aussi c'est mon anniversaire. »

« Ah bon », grogne Jack.

« Oui. Et… si tu me rends Didier, je t'invite à ma fête. »

« Je n'aime pas les fêtes », ronchonne le vieux vautour.

« Je suis trop moche. Personne ne veut danser avec moi. »

« Ah, mais ça tombe bien », dit Billy, « c'est un bal costumé !
Si tu es bien déguisé, personne ne verra que c'est toi ! »

« Je pourrais essayer… » dit Jack, hésitant.

« Bien sûr », dit Billy. « À ce soir, alors. Viens, Didier,
on va vite retrouver ton frère. »

Jean-Claude est si heureux de revoir
son petit frère bien vivant qu'il en pleure.
« Il vaut mieux que je le ramène à la maison », dit-il.
« De toute façon, il faut qu'il fasse sa sieste. »
« Monte sur mon dos, Billy », dit le bison. « Je vais t'aider
pour le reste des invitations. Ça va être vite fait, tu vas voir. »

Le soir venu, tout est prêt pour la fête.
Le père de Billy a grillé une montagne de noisettes
et Billy vient de finir son costume de chat.
Il s'exerce à miauler en attendant les invités.

Voilà Jean-Claude !
Jean-Claude est magnifique.
Tout peint en bleu, il s'est déguisé en rivière.

«Didier voulait absolument venir aussi»,
dit Jean-Claude. «Et, bon, comme je n'avais plus
beaucoup de temps, je l'ai déguisé en crotte.»
«Dié caca!» dit Didier, très fier.

Les invités arrivent les uns après les autres…
Ah! le bison fait son entrée.
«Tu es déguisé en quoi?» lui demande Billy.
«Ben, en buisson», répond le bison. «Ça se voit pas?»

La fête bat son plein. Tout le monde danse et s'amuse.
Mais soudain un cri retentit dans la nuit.
«Mon petit frère!! Où est passé mon petit frère??»
C'est la rivière qui a perdu la petite crotte.
«Pas de panique», dit Billy. «On va le retrouver,
il est forcément quelque part.»

Jean-Claude et Billy cherchent partout,
et ouf! enfin ils finissent par retrouver Didier.
«Regarde comme il est bien!» dit Jean-Claude,
terriblement soulagé. «C'est qui, ce gentil fantôme?»

«Je vais te le dire à l'oreille», dit Billy.
«Personne ne doit savoir qui c'est.»

«Je mangerais bien une noisette, pour me remettre
de mes émotions», dit Jean-Claude.
«Moi aussi», dit Billy. «Viens, on va s'asseoir là.»
Les amis regardent le ciel majestueux au-dessus de leurs têtes.
«Toutes les étoiles sont venues voir ma fête», dit Billy.
«Forchément», dit Jean-Claude, la bouche pleine.
«Ché le meilleur anniverchaire du meilleur hamchter de la terre.»